monster High
MONSTER HIGH
D0808465

POURQUOI LES GOULES TOMBENT AMOUREUSES?

Novélisation : Elizabeth Barféty
Conception graphique : Audrey Thierry

Hachette Livre, 43, quai de Grenelle, 75015 Paris.

Pourquoi les goules tombent amoureuses?

hachette
JEUNESSE

MONSTER HIGH
Bienvenue à Monster High, le lycée le plus monstrueux du monde ! À première vue, il ressemble à tous les autres, avec ses cours de maths ennuyeux, sa cantine, ses élèves qui se promènent main dans la main… Oui, mais attention : ici, la directrice a une tête qui se sépare de son corps, les professeurs sont des fantômes, des zombies ou des squelettes, et les élèves sont tous un peu… différents ! Et l'essentiel, c'est qu'on y apprend à être soi-même et à assumer ses différences !
À Monster High, on est Monstres et fiers de l'être !

FRANKIE STEIN
Frankie est la plus
jeune élève de Monster High,
et pour cause : elle n'a que
15 jours ! Fille du Dr Frankenstein,
elle est enthousiaste et curieuse
de tout. Pas étonnant, après
tout : elle a tout à découvrir !
Le revers de la médaille, c'est
qu'elle peut aussi se montrer
un peu naïve... et très maladroite.
Les fils qui maintiennent
ses membres ont une fâcheuse
tendance à lâcher au pire moment
possible ! Heureusement, Frankie
a deux meilleures amies sur qui
elle peut compter : Draculaura
et Clawdeen !

DRACULAURA
Draculaura est la fille de Dracula, mais attention : elle ne boit pas une goutte de sang. Non, elle est végétarienne ! Chaleureuse et attentionnée, c'est l'amie idéale, même si elle peut se montrer un peu envahissante… et très bavarde ! Comme elle ne se reflète pas dans les miroirs, elle ne peut pas vérifier son maquillage… mais à 1 600 ans, elle a assez d'expérience pour ne plus se tromper ! Son petit ami est Clawd Wolf, le frère de Clawdeen.

CLAWDEEN WOLF
Clawdeen a 15 ans
et appartient à une grande
famille de loups-garous.
D'ailleurs, certains de ses
frères et sœurs sont aussi
à Monster High, ce qu'elle
trouve plutôt énervant...
surtout quand son frère Clawd
sort avec sa meilleure amie,
Draculaura. Clawdeen a confiance
en elle, c'est une amie loyale
et une grande fan de mode.
Le problème, avec son côté
loup-garou, ce sont les poils,
bien sûr... Enfin, au moins,
elle a des cheveux sublimes !

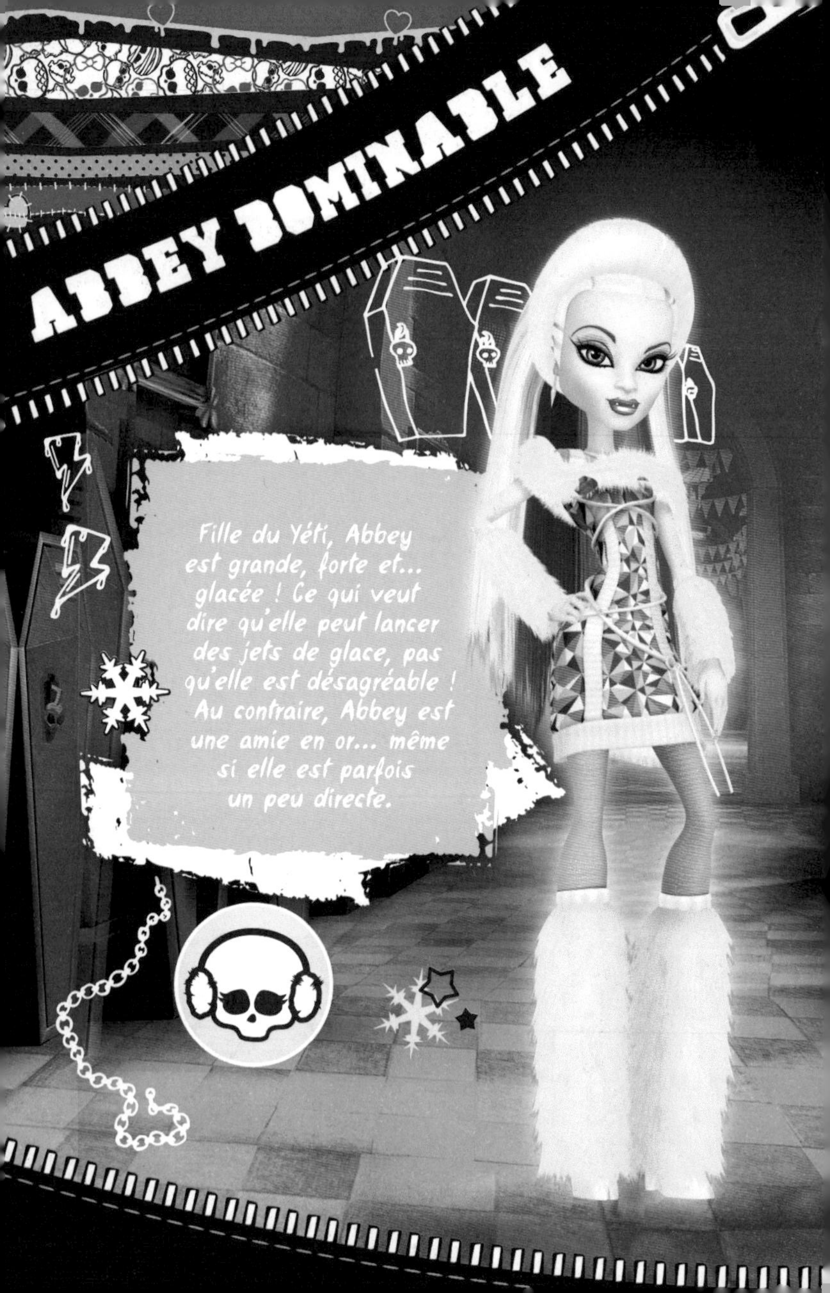
ABBEY BOMINABLE
Fille du Yéti, Abbey
est grande, forte et...
glacée ! Ce qui veut
dire qu'elle peut lancer
des jets de glace, pas
qu'elle est désagréable !
Au contraire, Abbey est
une amie en or... même
si elle est parfois
un peu directe.

CLEO DE NILE
Princesse
égyptienne âgée
de plus de 5 800 ans,
Cleo a un sacré caractère !
Ce qu'elle aime
par-dessus tout ?
Donner des ordres !
C'est pour ça qu'elle est
capitaine des Pom-Pom
Monstres. Il lui arrive
parfois d'avouer qu'elle a
un cœur, à ses amies ou
à Deuce, son petit ami.

MONSTER
HIGH

Être à la hauteur

Quelle est la fête préférée de Draculaura, la plus romantique de toutes les vampires ? La Saint-Valentin, bien sûr ! Ce que beaucoup ignorent en revanche, c'est qu'elle a lieu le jour de son anniversaire... parce que c'est pour la jeune vampire que la fête des

amoureux a été inventée ! Mais avant de découvrir toute l'histoire, intéressons-nous à ce qui se passe cette année, à Monster High...

Pour les 1 600 ans de Draculaura, ses meilleures amies Clawdeen et Cleo sont chargées de lui organiser la fête la plus extraordinaire qui soit. La vampire imagine déjà une salle sublime entièrement décorée en son honneur... Une gigantesque pile de cadeaux tous plus adorables les uns que les autres offerts par Clawd, son petit ami... Et puis, tant qu'à faire, une sublime voiture décapotable de la part de ses parents !

– Voilà à quoi ressemblerait la fête de mes rêves ! s'écrie Draculaura, des étoiles plein les yeux, après avoir raconté tout ça à ses amies.

Cleo et Clawdeen ont un sourire figé. Comment pourraient-elles se montrer à la hauteur des siècles d'anniversaires fantastiques qui ont précédé ?

– Ton imagination deviendra notre réalité ! bluffe Cleo, qui refuse de s'avouer vaincue.

Mais dès que la vampire a le dos tourné, les Goules soupirent. Elles ont du pain sur la planche si elles ne veulent pas décevoir leur amie...

Comme si ça ne suffisait pas, elles sont dérangées en plein travail par Toraleï et ses deux sbires, Meowlody et Purrsephone. Elles ont entendu parler de l'anniversaire qui s'annonce, et veulent s'assurer qu'elles seront bien conviées. Mais les Goules ne l'entendent pas de cette oreille.

– Tu rêves, Toraleï ! réplique Cleo. Après tout ce que tu nous as fait, il est hors de question qu'on t'invite !

– *Miaou !* Dans ce cas, vous feriez bien de surveiller vos arrières...

Avec Toraleï, ce genre de menaces n'est jamais très bon signe... Mais les Goules n'ont pas le temps de s'interroger : elles ont encore des milliards de choses à préparer !

Et les deux organisatrices ne sont pas les seules à avoir la pression : ce pauvre Clawd est perdu. Quel cadeau offrir à sa petite amie ? Elle a déjà

tout ! Le loup-garou s'est creusé la tête et enfin… il pense avoir trouvé !

– Un manuel pour réviser ton examen de conduite ! annonce-t-il fièrement, en tendant un épais livre à la jeune vampire, sous les regards gênés de ses amies.

Frankie, Cleo, Clawdeen et Abbey savent toutes que Clawd vient de commettre une terrible erreur : on n'offre pas un cadeau utile à une Goule aussi romantique que Draculaura...

Comme la jeune vampire s'est éloignée, visiblement déçue, le loup-garou en profite pour demander conseil à ses amies.

– Regardez, je lui ai aussi acheté ce pendentif en forme de gargouille ! Quoi ? interroge-t-il, en voyant leurs

mines crispées. Vous ne trouvez pas ça joli ?

Clawdeen se dévoue pour expliquer à son frère qu'il va devoir trouver mieux que ça. Ce qu'il lui faut, c'est un cadeau exceptionnel !

Le loup-garou baisse la tête. Il a besoin de conseils... mais vers qui se tourner ? Soudain, il a une idée : Cupidona !

Cette Goule anime une émission de radio suivie par tous les élèves de Monster High. Sa spécialité ? Les conseils amoureux ! C'est une experte en relations... et en romantisme. C'est décidé : Clawd va l'appeler !

Pendant ce temps, assise au bord de la fontaine de l'école, Ghoulia soupire. L'amour, ce n'est pas vraiment son truc...

– Elle ne sait pas quel zombie inviter à la fête de Draculaura, explique Lagoona à son petit ami Gil qui surgit de la fontaine à leurs côtés. Tu comprends, elle préfère la science à la romance...

– Dommage que la science ne puisse pas choisir pour elle, répond ce dernier.

Sans s'en douter, Gil vient de résoudre le problème de Ghoulia. La zombie décide de choisir son cavalier... de manière scientifique !

Le problème, c'est que, malgré des heures passées à poser des équations sur le tableau noir, Ghoulia ne trouve toujours pas de réponse... Qu'à cela ne tienne, elle va créer un programme informatique pour déterminer qui est son cavalier idéal !

Et quelques heures plus tard, le résultat s'affiche enfin, sous les yeux ébahis de Ghoulia, Lagoona et Gil. Le petit ami idéal de la zombie est...

– Thomas Cramé !?! s'écrie Gil, incrédule.

À quelques salles de là, Clawd est pendu au téléphone : il attend son tour pour parler à Cupidona, l'animatrice spécialiste de l'amour.

– Auditeur numéro 15, annonce soudain une douce voix. Dis-moi ce qui trouble ton cœur...

– Qu'est-ce qu'on offre à une Goule qui a déjà tout ? interroge Clawd, plein d'espoir.

La réponse de Cupidona est très loin de ce qu'il imaginait.

– Mon conseil est de ne rien lui acheter ! déclare-t-elle. Trouve-lui plutôt quelque chose de personnel, qui montre que tu l'écoutes.

Aussitôt, Clawd repense aux difficultés qu'a Draculaura pour atteindre le haut de son casier. Voilà une idée de cadeau personnalisé, qui l'aidera au quotidien ! Le loup-garou se met au travail, et lui fabrique un escabeau en bois.

Malheureusement, quand il montre fièrement le résultat de ses efforts à sa petite amie, elle fond en larmes.

– Tu me trouves trop petite, c'est ça ? sanglote-t-elle, avant de s'enfuir dans le couloir.

Clawd secoue la tête, désespéré : qu'a-t-il fait de mal, cette fois-ci ? Et comment pourrait-il rendre Draculaura heureuse s'il ne comprend plus rien à ses rêves ?

L'origine de la Saint-Valentin

Réfugiée aux toilettes avec ses amies, Draculaura pleure à chaudes larmes.

– Peut-être que j'attends trop de Clawd, soupire-t-elle. Mais la Saint-Valentin me rappelle tellement de souvenirs...

Devant l'air intrigué de Frankie, la jeune vampire décide de lui raconter l'histoire de cette fête.

– Tout a commencé il y a 400 ans, dans mon ancienne école...

Un jeune et beau vampire du nom de Valentin séduisait absolument toutes les élèves, mais c'est sur Draculaura qu'il avait jeté son dévolu.

– Il était incroyable, poursuit-elle, la voix vibrante. Il m'écrivait la poésie la plus délicate, et chaque moment

que nous passions ensemble ressemblait à un conte de fées !

La jeune vampire apprend ensuite à Frankie que c'est à ce moment-là qu'est née la Saint-Valentin : c'était le cadeau du vampire à Draculaura pour son anniversaire. Une fête inventée pour elle !

Par malchance, la jeune vampire n'a pas pu en profiter. Le soir même, elle a dû fuir avec toute sa famille, à cause d'un terrible malentendu avec les Normaux du village voisin...

– Et je n'ai plus jamais revu Valentin, termine Draculaura, avec un soupir nostalgique.

Si Frankie est très émue, Cleo et Clawdeen, qui ont entendu cette

histoire mille fois, sont beaucoup plus critiques.

– Tu ne le connaissais que depuis une semaine ! rappelle Cleo, en levant les yeux au ciel.

– Et il semblait très imbu de lui-même, ajoute Clawdeen. Tu ne trouves pas ça bizarre, qu'il ait créé une fête pour toi... mais qu'il lui ait donné son propre nom ?!

Les Goules quittent la pièce, sans savoir que le récit de Draculaura a profité à d'autres oreilles : celles de Toraleï et de ses inséparables amies, cachées dans les toilettes ! Vexée de ne pas être invitée à la fête, la peste vient de trouver le moyen idéal de la gâcher...

C'est sans trop de difficulté que Toraleï trouve le numéro de téléphone de Valentin. Et quelques instants plus tard, une sonnerie résonne dans le château du vampire...

Autour de lui, tous les éléments de sa chambre sont en forme de cœur, et son étrange obsession est complétée par deux grandes étagères qui contiennent... sa collection de cœurs !

Au-dessus de chacun d'eux, la photo d'une vampire est affichée. Ce

sont toutes les anciennes conquêtes de Valentin. Il les a séduites, a rempli leurs cœurs d'amour, avant de les briser, un à un !

Une seule personne manque à son tableau de chasse : Draculaura ! Elle est partie juste avant que le vampire puisse lui voler son cœur, il y a 400 ans...

– Qui puis-je charmer pour vous aujourd'hui ? annonce-t-il en décrochant son téléphone.

– Valentin ? interroge Toraleï à l'autre bout du fil, en imitant parfaitement la voix de Draculaura.

Le vampire tombe à la renverse en reconnaissant son ancienne conquête, avant d'être rappelé à l'ordre par trois curieux nuages parlants, qui l'accompagnent partout.

– Reste zen ! lui chantent-ils.

– Cher cœur, se reprend Valentin en rattrapant le combiné. Cela fait des siècles que j'espère entendre ta voix...

Toraleï a tout prévu : elle demande au vampire de s'inscrire à Monster High, ce qu'il s'empresse d'accepter.

– Pourquoi cette vampire est-elle si importante pour toi ? interroge un de ses nuages, alors que Valentin vient de raccrocher.

– Elle a le plus grand cœur qui existe, explique-t-il. Ce serait le joyau de ma collection !

Au même moment, à Monster High, Clawd passe un deuxième appel à Cupidona.

– Draculaura est parfaite, explique-t-il amoureusement. Elle a un si grand cœur... Elle me complète ! J'aimerais simplement la rendre heureuse...

– Tu dois lui rappeler pourquoi elle est tombée amoureuse de toi, lui conseille l'animatrice, un sourire aux lèvres.

Voilà qui donne une nouvelle idée au loup-garou ! Un cadeau que

personne d'autre ne pourrait offrir à la jeune vampire...

Quelques mètres plus bas, Cleo et Clawdeen explorent les catacombes à la recherche du lieu idéal pour organiser l'anniversaire de Draculaura. Soudain, elles repèrent une porte en forme de cœur. Parfait pour une fête de Saint-Valentin réussie, non ?

Un tour de clef et la porte s'ouvre pour révéler une salle absolument parfaite, à un détail près... une espèce de grosse

flaque verdâtre et puante, dans laquelle Clawdeen manque de tomber !

– Vous êtes passées à deux doigts de la catastrophe ! annonce une voix au-dessus de leurs têtes.

C'est Operetta ! La Goule connaît tous les secrets des catacombes... Elle explique :

– Voici le chaudron de la puanteur éternelle. Un plongeon là-dedans, et vous sentirez le putois pendant plus d'un millénaire !

Les Goules l'ont échappé belle... Avec l'aide d'Operetta, elles se mettent au travail pour transformer les lieux en un endroit accueillant... et parfumé !

De son côté, Clawd est ravi : ça y est, son cadeau est enfin prêt ! Il se dirige vers les amies de Draculaura, un carton à la main.

– Regardez ça ! annonce-t-il en leur montrant son contenu.

– Des... cochonneries ? demande Cleo, perplexe, en découvrant les

différents objets qu'il a entassés dans le carton.

Un ballon de basket dégonflé, de vieilles lunettes 3D, un cahier... Tout a visiblement déjà servi, et pas qu'un peu. La réaction des Goules est unanime : impossible d'offrir ça à Draculaura !

Le pauvre Clawd n'a pas le temps de se justifier : ses explications sont interrompues par des cris hystériques.

– Mais qu'est-ce qui leur prend ? s'écrie Cleo. Il y a des soldes quelque part et je n'ai pas été prévenue ?

C'est le moment que choisit Spectra pour se matérialiser devant elles.

– Vous n'avez pas lu mon blog ? Un nouvel élève super canon vient de s'inscrire à Monster High !

MONSTER
HIGH

CHAPITRE 3

Un choix difficile

Devant le lycée, c'est bien sûr le beau Valentin qui attire toutes les Goules ! Et la pauvre Draculaura découvre sa présence dans l'école au pire moment : alors qu'elle est en train de passer son examen de conduite, sous l'œil sévère de M. Charcuteur, qui occupe le poste d'examinateur en plus de celui de professeur !

Évidemment, impossible de se garer correctement quand son premier amour se trouve à quelques mètres à peine... Elle échoue lamentablement, mais ne semble pas s'en préoccuper une seconde.

– Valentin..., souffle-t-elle en le suivant des yeux, alors qu'il entre dans le bâtiment.

À l'intérieur, Toraleï saute sur le nouveau du lycée... non pas parce qu'elle est séduite, mais parce qu'elle compte bien s'en faire un allié !

– Je sais que tu es là pour le cœur de Draculaura, miaule-t-elle. Il faudra juste que tu te débarrasses de son chien de garde, Clawd. Mais ne t'inquiète pas, il est incapable du moindre romantisme...

Profitant d'un moment où la jeune Goule est seule dans le couloir, Valentin met en scène leurs retrouvailles.

– Draculaura ! s'exclame-t-il, la voix tremblante d'émotion, avant de faire apparaître un énorme bouquet de roses dans sa main gauche.

Sous le charme, la jeune vampire accepte de lui servir de guide pour ses premiers jours à Monster High... Pour Valentin, chaque instant est l'occasion d'une grande démonstration : ses nuages de compagnie tracent un cœur rose dans le ciel, installent une table digne des plus grands restaurants à la cantine...

Et après chacune de ces petites attentions, Valentin chausse ses lunettes de soleil, qui lui permettent en réalité d'évaluer le cœur de Draculaura. Peu à peu, celui-ci se remplit d'amour...

Évidemment, la relation naissante entre les deux vampires n'a pas échappé aux amies de Draculaura. Elles la sermonnent :

– Qu'est-ce que tu fabriques avec Valentin ? Tu as oublié que tu avais un petit ami ou quoi ? Tu ne peux pas jouer sur les deux tableaux ! Tu dois faire un choix !

La jeune vampire n'est pas la seule à avoir des problèmes de couple...

Pour Ghoulia, les choses s'annoncent plus compliquées que prévu ! Lagoona et Gil ont informé Thomas Cramé qu'il était le petit ami idéal pour la jeune zombie. Il ne lui reste plus qu'à faire le premier pas. Car Ghoulia est timide quand il s'agit d'amour...

– Il faudrait que tu sois délicat, lui conseille Lagoona. Essaye d'être moins...

Mais, comme à son habitude, Thomas est survolté.

– ... moins cramé, c'est ça ? interroge-t-il. Hors de question ! Vous n'avez rien compris, c'est moi, son idéal !

Ghoulia est un peu inquiète : son nouveau petit ami est imprévisible... et dangereux ! Il passe son temps à faire brûler ce qui l'entoure, comme les

livres que consulte la jeune zombie, par exemple ! Pourtant, elle est décidée à faire des efforts. Après tout, c'est la science qui la guide...

Après des jours entiers à hésiter entre les deux Monstres qui occupent

ses pensées, Draculaura a enfin pris une décision. Elle sait qu'elle doit écouter son cœur.

Elle profite d'une pause entre deux cours pour aller trouver Valentin.

– J'apprécie vraiment tout ce que tu fais, lui dit-elle. Les cadeaux, les petites attentions... mais ce n'est pas réel. Avec Clawd, nous partageons une vraie relation, tu comprends ?

Furieux, Valentin perd son éternel sourire. Il serre les poings en marmonnant :

– J'espérais ne pas avoir à en arriver là...

Ses yeux se mettent à briller d'un éclat étrange alors qu'il fixe intensément Draculaura. La jeune vampire tente de résister, mais en vain. Elle est hypnotisée !

Quelques instants plus tard, Draculaura se promène au bras de Valentin en le couvant d'un regard amoureux. Elle n'aperçoit même pas Clawd qui l'observe, les yeux écarquillés.

MONSTER
HIGH

La nouvelle Draculaura

Grâce au blog de Spectra, la nouvelle fait bientôt le tour de Monster High : Draculaura et Clawd ont rompu ! Bien entendu, ses amies voudraient parler à la jeune vampire, savoir comment elle va... Mais elle semble s'être volatilisée :

elle ne répond même plus au téléphone !

Après l'avoir cherchée pendant des heures, ses amies la retrouvent enfin, sortant d'une salle d'étude au bras de Valentin.

– Draculaura ! l'appelle Clawdeen. Il faut qu'on parle ! Où étais-tu ?

– Avec Val ! répond la Goule d'une

voix sucrée. J'ai fait modifier mon emploi du temps pour qu'on ne soit jamais séparés...

Draculaura n'est plus elle-même : elle annonce même qu'elle ne viendra pas à sa fête d'anniversaire !

– Désolée, mais Valentin m'a préparé une surprise extraordinaire..., lance-t-elle avant de tourner les talons.

Les amies de Draculaura se retrouvent dans les catacombes, à l'endroit où devait avoir lieu la fête. Clawdeen ne décolère pas, tandis que les autres Goules tentent de comprendre l'étrange changement d'attitude de la jeune vampire.

– Je sais qui saura enquêter sur cette affaire ! lance Cleo en sortant son téléphone portable. Spectra !

Effectivement, l'apprentie journaliste n'a pas sa pareille pour découvrir les secrets les mieux gardés de Monster High. Et cette fois encore, elle fait des merveilles ! Spectra surprend une conversation entre Toraleï et Valentin, qu'elle prend soin de filmer.

– C'est formidable ! Le couple de Draculaura et Clawd a explosé et la fête est annulée ! Je ne pouvais pas rêver mieux, miaule la peste. Mais pourquoi fais-tu cette tête ? L'opération « vol de cœur » ne se passe pas comme prévu ?

– Son amour pour ce cabot est plus fort que je ne l'imaginais, soupire le vampire. Ça ralentit le processus.

Avant de lui ravir son cœur, je dois le remplir d'amour... Et il ne faudrait pas que ça traîne trop.

– Pourquoi es-tu si pressé ? l'interroge Toraleï.

– Le sortilège deviendra permanent le soir de son anniversaire. Son cœur s'évanouira en fumée, et elle ne sera plus capable d'aimer qui que ce soit...

Grâce à Spectra, les amies de Draculaura sont rapidement au courant du plan diabolique de Valentin. Elles se dépêchent d'aller l'annoncer à Clawd.

– Il va me le payer ! hurle le loup-garou en faisant exploser un ballon de basket entre ses mains.

– Calme-toi ! lui conseille Frankie. Ça ne servirait à rien de se débarrasser de Valentin sans briser le sort d'abord. Non, ce qu'il nous faut, c'est quelqu'un qui sait voir clair dans les histoires de cœur...

Une étincelle parcourt les boulons de Frankie : elle a trouvé ! Cupidona, bien sûr !

Un peu plus tard, les Goules sont réunies dans le bureau de l'animatrice.

Et celle-ci est prête à utiliser les grands moyens : son arc magique ! Le plan est simple : Cupidona va tirer une flèche sur Draculaura. La jeune vampire tombera éperdument amoureuse du premier Monstre qu'elle verra. Il faut juste s'arranger pour que ce soit Clawd ! Sortilège contre sortilège, en quelque sorte.

Mais quand elle aperçoit Valentin dans le grand hall de Monster High, Cupidona hésite.

– Je n'ai jamais vu un Monstre avec de tels pouvoirs... Une seule flèche n'y suffira pas. Je vais en lancer deux !

Chacun prend sa place et Cupidona vise soigneusement... Mais au moment

où elle va tirer, Toraleï, qui observe toute la scène en cachette, envoie un projectile qui dévie la trajectoire des flèches ! Celles-ci ricochent un peu partout dans la salle avant de se planter dans deux cibles imprévues : Clawd et Cupidona elle-même !

Immédiatement, la magie opère : les deux Monstres tombent éperdument amoureux l'un de l'autre !

À partir de ce moment-là, les jours se suivent et se ressemblent à Monster High : Draculaura et Valentin passent tout leur temps ensemble, le cœur de la vampire se remplissant petit à petit d'amour, tandis que Clawd et Cupidona roucoulent, indifférents au monde qui les entoure.

Clawdeen tente pourtant de raisonner son frère.

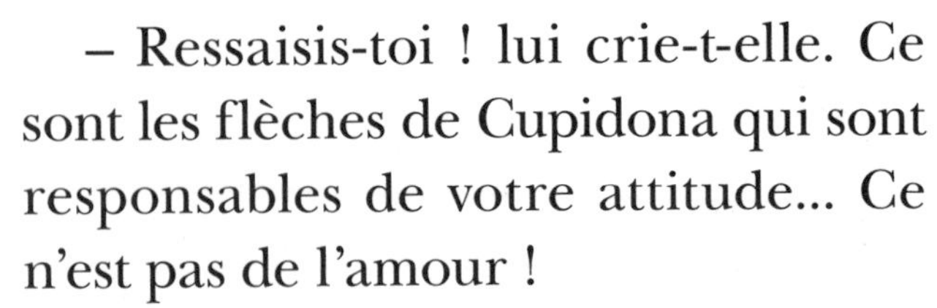

– Ressaisis-toi ! lui crie-t-elle. Ce sont les flèches de Cupidona qui sont responsables de votre attitude... Ce n'est pas de l'amour !

Clawdeen supplie Cupidona de lui révéler comment briser son enchantement, mais cette dernière refuse. Les Goules n'ont plus le choix : elles doivent passer à l'action, sinon leur amie va finir transformée en zombie sans cœur !

Frankie et Abbey décident donc de s'introduire dans le bureau de Cupidona, avec l'espoir d'y trouver un indice. En feuilletant les livres dans les étagères, Abbey ronchonne :

– Je ne comprends pas pourquoi tout le monde lui fait une confiance aveugle...

Frankie ne répond pas : elle vient d'apercevoir l'arc et les flèches de

Cupidona. Il faut vite les mettre en lieu sûr !

– Je vais les ranger dans mon casier, décide la Goule, alors que le téléphone de la pièce se met à sonner.

Abbey décroche et une voix d'auditeur résonne dans le bureau.

– Il y a une Goule qui me plaît bien, mais je ne sais pas comment lui en parler...

– Sois direct ! réplique Abbey, sans hésitation. Dis-lui : « Bonjour, tu me plais. Et moi, je te plais ? » Tu vois, c'est facile !

Après ce premier appel, le téléphone n'arrête plus de sonner : Abbey se prend au jeu, et visiblement, ça plaît ! Les élèves de Monster High se succèdent au téléphone pour lui demander conseil ! Serait-ce le début d'une nouvelle carrière pour la Goule ?

Le retour de la fête !

– On n'a presque plus de temps ! se lamente Lagoona.

Les autres Goules hochent la tête, inquiètes. Elles doivent libérer Draculaura du sortilège avant son anniversaire...

– Tout ça ne serait pas arrivé si mon frère avait été plus romantique ! soupire Clawdeen. Vous vous rendez compte, le meilleur cadeau qu'il ait trouvé, c'est ce carton rempli de vieux machins…

Elle sort de son casier le cadeau qu'avait préparé Clawd, et montre son contenu à ses amies. Mais, alors que toutes n'y voient que des vieilleries, Frankie comprend aussitôt. Ce carton contient quelque chose de plus puissant que tous les pouvoirs de Valentin et de Cupidona réunis !

– Les Goules, s'écrie-t-elle, j'ai un plan ! Il faut qu'on rassemble tout le monde dans la même pièce.

– Mais comment ? demande Cleo.

– Facile, on fait une fête ! s'exclame Clawdeen.

Les Goules ne perdent pas une seconde : elles se dispersent dans Monster High pour inviter un maximum de Monstres. Elles distribuent à tous les invités des copies de la clef qui donne accès à la grande salle des catacombes, celle qu'elles ont déjà entièrement décorée pour l'anniversaire de Draculaura. Finalement, tous ces préparatifs ne seront pas inutiles !

Cupidona et Clawd acceptent l'invitation sans difficulté, en déclarant en chœur :

– On viendra pour que tout le monde puisse voir à quel point on s'aime !

– Beurk ! grimace Clawdeen dès que les amoureux ont le dos tourné. C'est trop dégueu...

Pour Draculaura et Valentin, c'est un peu plus difficile.

– Nous n'avons pas de temps à perdre avec ces bêtises, déclare Valentin. Pour son anniversaire, une seule chose compte : remplir son cœur d'amour. Complètement...

– Justement ! s'écrie Frankie, qui vient de comprendre comment les convaincre. Il n'y a rien qui fera plus plaisir à

Draculaura qu'une fête en son honneur !

– Alors nous y serons, décide Valentin, en s'emparant de la clef. Sans faute.

Pendant ce temps, Lagoona vient prendre des nouvelles de Ghoulia.

– Comment ça va, avec Thomas ? lui demande-t-elle. Peut-être que la science n'était pas la réponse, finalement...

Juste à ce moment-là, une bestiole sort de l'ordinateur de la zombie pour lui voler un morceau de sandwich. La voilà, l'explication ! Ghoulia est ravie : ce n'est pas la science

qui l'a déçue, c'est son ordinateur qui avait un bug ! L'insecte a dû tout détraquer, le résultat donné par le programme est donc faux.

– Comment tu vas l'annoncer à Thomas ? s'inquiète Lagoona.

L'enthousiasme de Ghoulia retombe. Elle n'avait pas pensé à ça...

Épidémie amoureuse

Le soir venu, les invités se présentent devant la porte en forme de cœur, au plus profond des catacombes. À peine ont-ils glissé leur clef dans la serrure qu'ils découvrent un spectacle grandiose. La salle est entièrement décorée aux couleurs de l'amour, les tables

débordent des plats les plus appréciés des Monstres et un jeu de lumière éclaire la piste de danse, où tout le monde bouge au rythme de la musique. Comme toujours, c'est Holt qui fait office de DJ.

Certains invités ont déjà découvert la petite spécificité du lieu : le chaudron de la puanteur éternelle, qui a été circonscrit par des cordons afin que personne n'y tombe par accident.

Les Goules sont réunies à une table.

– Alors, Frankie, c'est quoi ton plan ? demande Clawdeen.

– Ghoulia a découvert que le pouvoir de Cupidona n'est efficace que si son arc est intact, annonce Frankie, en brandissant l'arme devant elle.

– Donc, il suffit de le détruire pour que mon frère soit libéré ? comprend Clawdeen.

Mais la loup-garou n'a pas le temps de se réjouir : Toraleï, se servant d'un des grands rideaux qui décorent la salle comme d'une liane, arrache l'arc des mains de Frankie !

– Vite, il faut la rattraper ! s'écrie Frankie.

Les Goules se séparent, et chacune essaie de retrouver Toraleï. Frankie pousse un soupir en regardant le carton qu'elle tient dans les mains : c'est le cadeau que Clawd avait prévu de donner à Draculaura. La Goule n'espère qu'une seule chose : que ce soir, l'amour véritable triomphe.

Soudain, un cri attire son attention. C'est Cleo ! Elle vient de recevoir une flèche de l'arc de Cupidona. Toraleï s'est positionnée sur une passerelle, en hauteur, et s'amuse à viser des Monstres dans la salle ! Chaque victime tombe aussitôt follement amoureuse de la première personne qu'elle voit. Pour

Cleo, c'est son propre reflet dans un plateau ! Le pauvre Gil, lui, n'a plus d'yeux que pour une gargouille de Monster High...

Lagoona zigzague, évitant les flèches, pour rejoindre Frankie, Abbey et Clawdeen, à l'abri dans un coin de la pièce.

– Les filles, il faut faire quelque chose !

– Oui, mais quoi ? demande Abbey. Si on sort à découvert, Toraleï va nous tirer dessus !

– Il faudra d'abord qu'elle me touche ! lance Clawdeen, d'un ton de défi.

C'est vrai que la jeune loup-garou est une sportive accomplie. Si quelqu'un peut passer entre les flèches, c'est bien elle ! Clawdeen

décide donc de servir d'appât. Pendant que Toraleï essayera de la toucher, les autres Goules la rejoindront discrètement pour lui prendre l'arc et le détruire !

La loup-garou s'avance donc seule dans la salle. Il ne faut que quelques instants pour que la pluie de flèches commence. Clawdeen est incroyablement rapide et agile, elle glisse, se

plaque au sol, puis bondit, évitant toutes les attaques... jusqu'à ce qu'une flèche l'atteigne dans le dos ! Peu importe : elle a accompli sa mission : détourner l'attention de Toraleï.

En effet, les autres Goules se trouvent maintenant suffisamment près de la peste pour passer à l'action. Frankie détache sa main de son corps, et l'envoie récupérer l'arc ! Toraleï est si surprise qu'elle lâche son arme sans résistance. Et, quand elle veut poursuivre la main de Frankie, elle fait face à des Goules très organisées. Lagoona commence par déverser de l'eau sur la passerelle où se trouve Toraleï, puis Abbey utilise son pouvoir pour la transformer en glace. Le sol devient alors une vraie patinoire ! Heureusement que les deux

éternelles complices de Toraleï, Meowlody et Purrsephone sont là pour la rattraper par la main au dernier moment : la peste est maintenant suspendue dans le vide... juste au-dessus du chaudron de la puanteur éternelle ! Va-t-elle y plonger ?

L'amour est plus fort que les sorts

Sur la passerelle, Frankie siffle pour rappeler sa main. Aussitôt, celle-ci revient vers elle en avançant sur ses doigts, comme une araignée, et brise d'un coup l'arc de Cupidona, avant de se rattacher au poignet de sa propriétaire !

– Ça a marché ? interroge Lagoona, en observant la salle.

Quelques mètres plus bas, tous les Monstres retrouvent brusquement leurs esprits... et découvrent avec stupéfaction les étranges couples qu'ils ont formés !

– Tu m'as manqué, Deuce ! susurre Cleo, en se lovant dans les bras de son petit ami.

Un peu plus loin, Clawd lâche les mains de Cupidona. Il semble s'éveiller d'un long rêve.

– Qu'est-ce qui se passe ? demande-t-il, en regardant autour de lui.

Vite, Frankie se précipite vers le loup-garou, son précieux carton à la main. Un premier sortilège a été rompu, mais il faut encore sauver Draculaura !

– Pas le temps de vous expliquer ! lance-t-elle à l'ancien couple. Clawd, tu dois offrir ça à Draculaura.

Elle lui met le carton dans les bras.

– Tu en es sûre ? demande-t-il. Vous m'avez dit qu'elle détesterait !

– Fais-moi confiance, le rassure Frankie.

Plein d'espoir, Clawd va trouver sa petite amie.

– J'ai un cadeau d'anniversaire pour toi, annonce-t-il.

Mais une voix désagréable l'interrompt :

– Bouge de là, le toutou ! lâche Valentin. Elle a fait son choix. Je ne comprends pas pourquoi tu t'accroches. Un sac à puces comme toi ne pourra jamais rendre heureuse une Goule telle que Draculaura !

C'en est trop pour Clawd, qui perd son sang-froid.

– Viens te battre ! grogne-t-il, en se ruant sur son rival.

Loin d'être impressionné, le vampire tend le bras, et une dizaine de chauves-souris foncent sur Clawd.

Le loup-garou valse dans les airs, et se retrouve plaqué contre un poteau de la salle, prisonnier d'un champ magnétique vert.

– Laisse-moi descendre, hurle-t-il. Tu ne sais rien d'elle ! Je la rendais vraiment heureuse, moi ! Draculaura, ajoute-t-il, plus doucement. Regarde dans la boîte !

Lentement, la jeune vampire s'approche du carton. Elle pose une main hésitante sur les objets qui s'y trouvent.

– Souviens-toi ! l'encourage Clawd.

Le sortilège qui envoûte Draculaura est puissant, très puissant. Pourtant, il existe une force capable de le vaincre, une force à laquelle rien ne résiste... le véritable amour.

– Ça fonctionne ! s'écrie Frankie, en voyant le regard de son amie changer.

Pour Draculaura, chacun des objets contenus dans la boîte fait resurgir un souvenir heureux. Elle s'empare du ballon de basket dégonflé, et revoit une scène se dérouler sous ses yeux. Elle est assise sur un banc, le long du terrain de sport. Elle ne sort pas encore avec Clawd, mais déjà, elle l'admire.

Surtout quand il s'empare de la balle et sème tous ses poursuivants avant d'aller marquer ! Ensuite, il s'approche d'elle en faisant tournoyer le ballon sur son index.

– Salut ! lance-t-il d'une voix charmeuse.

La jeune vampire est conquise.

Draculaura s'empare d'un autre objet du carton : des lunettes 3D. Elle se souvient très bien à présent ! Clawd l'avait invitée au cinéma et avait choisi un film d'horreur, certainement dans l'espoir que la Goule se réfugie dans ses bras... Et ça avait parfaitement fonctionné ! Clawd a toujours su la rassurer.

La vampire jette un coup d'œil à Valentin, derrière elle, puis à Clawd, toujours prisonnier. Comment a-t-elle

pu douter ? Tout est faux chez le vampire ! Et, grâce au cadeau choisi pour elle par le loup-garou, Draculaura a compris quelque chose. C'est vrai, c'est formidable, d'avoir des rêves... mais quand ils se mettent en travers de la réalité, il faut savoir les oublier ! Car, parfois, la réalité est plus belle que les rêves les plus fous.

La puissance de l'amour qui la submerge tout à coup agit comme le plus puissant des sorts, et libère Clawd de sa prison magnétique. Sans perdre un instant, Draculaura se précipite dans ses bras.

– Mais qu'est-ce qui vient de se passer ? bredouille Valentin.

Les trois nuages qui lui tiennent compagnie ne peuvent pas se retenir. En chœur, ils lui chantent :

– Tu t'es fait plaquer !!!

– Taisez-vous ! réplique le vampire, furieux. Je suis Valentin ! Je peux séduire n'importe quelle Goule !

MONSTER
HIGH

CHAPITRE 8

Un anniversaire parfait

Cette fois, Draculaura compte bien rabattre le caquet de ce pâlot prétentieux !

– Tu sais quoi, Valentin ?! crie-t-elle en s'avançant vers lui, menaçante. Il est grand temps que tout le monde

sache à quel point ton amour sent mauvais !

Le vampire, qui ne brille pas par son courage, recule petit à petit... sans remarquer qu'il se rapproche dangereusement du bord du chaudron de la puanteur éternelle.

Soudain, un bruit au-dessus de Draculaura et Valentin leur fait lever la tête à tous les deux. C'est Toraleï !

Tout le monde avait complètement oublié que la Goule était suspendue dans les airs. Ses deux complices n'ont pas pu la retenir bien longtemps, mais la peste s'est ensuite accrochée à un des grands rideaux qui décorent la salle...

Et voilà que le tissu vient de céder sous son poids ! Avec un miaulement déchirant, Toraleï chute dans le vide... droit sur Valentin. L'impact est inévitable... et les précipite tous les deux dans le liquide verdâtre et malodorant du chaudron !

Heureusement pour eux, le trou n'est pas profond : ils ont même pied ! En revanche, ils sont tous deux couverts de l'infâme liquide. Alors qu'ils s'extraient péniblement du chaudron, tous les autres élèves

s'éloignent, dégoûtés. Même Meowlody et Purrsephone ne parviennent pas à approcher leur chef : l'odeur est vraiment trop forte !

Mais pour Valentin, le pire est encore à venir... Il tente d'utiliser ses pouvoirs pour se sortir de ce mauvais pas... et se rend compte qu'ils ont disparu ! Le vampire a toujours tout

misé sur les apparences, et à présent qu'elles l'abandonnent, ses pouvoirs font de même. D'ailleurs, à des kilomètres de là, dans sa chambre, sa collection de cœurs brisés s'illumine brusquement. Peu à peu, tous se ressoudent ! Sur les photos, les victimes du vampire retrouvent le sourire... Elles sont libérées, le sort est brisé !

À Monster High, il ne reste plus qu'un détail à régler pour que la fête puisse enfin commencer... Mettre Toraleï et Valentin dehors ! Les gardes de Cleo se font un plaisir de s'en charger. Une fois la porte refermée derrière eux, Draculaura se tourne vers Clawd.

– Est-ce que tu pourras me pardonner un jour ? demande-t-elle.

– Il n'y a rien à pardonner, souffle Clawd, en se penchant pour l'embrasser.

Cleo et Clawdeen, les deux organisatrices de la soirée, s'approchent de la reine de la fête.

– Ça te plaît ? demandent-elles.

– On sait que ce n'est pas exactement ce que tu voulais..., remarque Cleo, gênée.

Mais contrairement à ce que redoutaient ses amies, Draculaura est ravie.

– Vous rigolez ?! s'écrie-t-elle en se jetant dans leurs bras. Cette fête est parfaite ! Merci du fond du cœur.

Cleo et Clawdeen ont encore une bonne nouvelle à lui annoncer : M. Charcuteur accepte de la laisser repasser son examen de conduite ! Cette fois, quand Clawd lui tend le manuel de révision, Draculaura lui saute au cou.

– C'est tellement romantique, souffle-t-elle.

Mais si le couple de la soirée est bel et bien réconcilié, il reste encore un problème à régler... Ghoulia et Thomas sont, eux, toujours officiellement ensemble ! La zombie redoute de lui annoncer que le programme

informatique s'est trompé... Et justement, son petit ami se dirige droit vers elle.

– Fais-le en douceur, conseille Lagoona à Ghoulia.

La zombie n'aurait pas dû s'inquiéter : elle n'a pas le temps d'ouvrir la bouche.

– Écoute, lui lance Thomas, la place du tombeur du siècle est libre,

maintenant que Valentin a été disqualifié ! Alors je préfère ne pas être casé en ce moment, tu comprends ? Je ne voudrais pas décevoir toutes ces demoiselles... Sans rancune ?

Visiblement, toute cette histoire est montée à la tête de Thomas... et ça arrange bien Ghoulia, qui se contente d'acquiescer, avant de rejoindre la piste de danse avec Lagoona !

Un peu plus loin, Cupidona et Abbey sont assises côte à côte, chacune devant un micro. Eh oui, si l'animatrice a repris son émission de radio depuis que le sortilège a été rompu, Abbey, elle, n'a aucune envie de l'arrêter. Du

coup, ce soir, les auditeurs ont chacun droit à deux conseils... en général strictement opposés !

Après tout, en amour, la seule règle, c'est qu'on ne sait jamais à quoi s'attendre, non ?

Retrouve bientôt les élèves
de Monster High dans
une nouvelle aventure
en Bibliothèque Rose !

AS-TU LU LEURS PREMIÈRES HISTOIRES ?

La fête des Goules

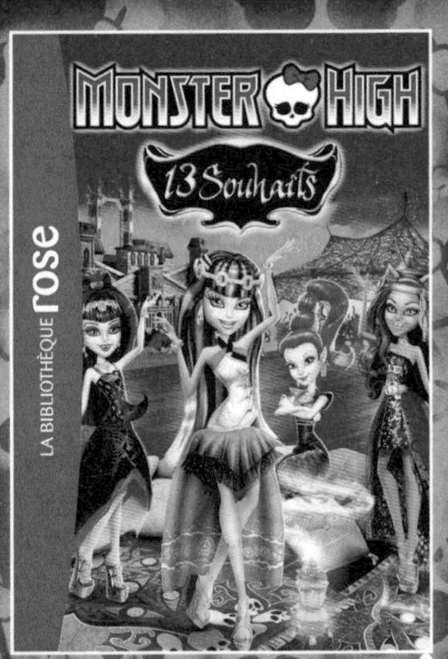

13 souhaits

Tous tes héros sont sur :
www.bibliotheque-rose.com

TABLE

monster High
MONSTER HIGH